Anne Vaisman

Ronde, et alors ?

Illustrations : Cha

De La Martinière
Jeunesse

Ronde

vous ? Peut-être un peu, peut-être pas tant que ça. Mais franchement, bien en chair ou à peine potelée, qu'est-ce que cela peut bien faire ? Disons-le enfin haut et fort : avoir des formes n'est pas une tare. C'est très joli au contraire. Si vous avez du mal à le croire, lisez les pages qui suivent. Elles ont précisément été écrites pour vous éviter de faire des régimes à tort et à travers, pour vous apprendre à vous aimer telles que vous êtes et vous aider à vous sentir toutes belles !

chapitre

I

Suis-je
trop ronde ?

Trop ronde, moi ?

C'est une question que vous vous posez généralement peu. Vous avez plutôt tendance à décréter que, oui, vous êtes trop ronde. D'ailleurs, vous dites plus volontiers : « Je suis grosse », « Je suis énorme », ou bien encore : « J'ai plein de bourrelets, je suis moche. » Certaines n'hésitent pas à employer des termes bien plus désobligeants à leur égard, qui vont de : « Je suis un tas, une vraie patate » à : « Je ressemble à une balein. » Il va sans dire que vous en rajoutez souvent un peu, et même beaucoup ! Ce qui vous effraie en fait quand vous vous plantez devant le miroir se résume généralement à quelques petites rondeurs ici ou là : un ventre qui n'est pas parfaitement plat, des hanches tout en courbes, des fesses rebondies, une poitrine généreuse, des bras potelés… Bref, vous n'avez pas les os saillants ni des cuisses de grenouille.

Vous êtes légèrement enrobée. Mais est-ce un mal ? Vos formes sont-elles vraiment de trop ? Et vos kilos vraiment superflus ? Pas si sûr.

L'influence de la société

Le problème, c'est que tout dans la société vous pousse à penser que vous êtes trop ronde. « Le régime de l'été », « Comment avoir un corps parfait ? », « La forme pas les formes »… À en croire les articles des magazines et les slogans publicitaires, il y a un physique idéal à atteindre. Et ce physique-là est tout en minceur. Pour preuve aussi, les images de mannequins filiformes qui s'affichent un peu partout. On aimerait y échapper de temps en temps, voir des femmes, des jeunes filles un peu plus en chair porter fièrement un jean taille 38 ou 40. Mais non. C'est le 36 qui prévaut, quand ce n'est pas le 34 de certains « people ».

Le corps, une véritable obsession

Disons- le franchement, nous vivons dans une société qui marche sur la tête, complètement obsédée par le corps. Ce corps, il faut le maîtriser, le muscler, le tonifier, le bichonner, l'embellir, le bronzer mais pas trop, le maquiller juste ce qu'il faut, pour pouvoir le montrer. La télévision en témoigne à longueur de journée, qu'il s'agisse de télé-réalité où s'exhibent des « bimbos », de reportages sur les adolescents obèses, d'émissions sur la chirurgie esthétique, de sujets consacrés à la beauté, à la santé, à la forme et aux bienfaits du sport… Et impossible de regarder une pub ou d'entrer dans une pharmacie sans tomber sur des produits drainants, lissants, dégonflants, amincissants, spécial ventre plat, anti-cellulite.

Bien sûr, il est agréable d'être jolie, soignée et de s'entretenir ; c'est une preuve de respect de soi et des autres. Il est également important de faire attention à ce corps avec lequel il va falloir passer toute la vie : c'est un capital précieux. Mais de là à y penser matin, midi et soir avec l'obsession d'être mince, toujours plus mince, il y a un pas que la société entière vous pousse à franchir. Quand vous rencontrez des gens, ils vous jugent sur votre physique souvent même avant de vous avoir adressé la

parole. Et vous attribuent tel ou tel trait de caractère en fonction de votre corpulence : un corps svelte cacherait un esprit sain et dynamique ; un corps plus lourd dissimulerait une personnalité plus molle. Alors bien sûr, le corps monopolise les esprits et les conversations des jeunes filles. Car, même si les garçons commencent à être soumis au culte de la minceur et à faire attention à eux, la société se montre toujours plus exigeante envers les filles. On tolère par exemple des comédiens ou des animateurs télé un peu ronds. Mais pas une animatrice potelée sur Filles TV ou sur Canal J par exemple. Et quasiment aucune jeune, ronde et jolie comédienne. Au cinéma, les jeunes premières sont toutes hyperminces. À l'évidence, les jeunes femmes en chair ont un mal fou à s'imposer sur le petit ou le grand écran ! Sauf à accepter de jouer les grosses rigolotes… Quelle conclusion tirer de tout cela quand on est ronde ? Qu'il vaudrait mieux être mince, bien évidemment…

La folie des régimes

Mais le pire n'est pas là. Le pire, c'est que nous sommes tous bombardés en permanence par des injonctions au régime et au contrôle de la nourriture. À la télé, dans les journaux, y compris ceux qui vous sont destinés comme *Jeune et Jolie* ou *Muteen*, des spécialistes disent qu'il faut manger moins, mieux, pas comme ci, pas comme ça, et surtout pas de ça ! Et dans tous les magazines féminins que vous aimez bien chiper à votre mère ou même acheter, on vous parle de dizaines de régimes différents. Des régimes hyperprotéinés, des régimes sans sucre, des régimes sans graisse, des régimes avec ou sans féculents, des régimes californiens, des régimes crétois, des régimes avec ou sans collation, des régimes à base de sachets en poudre. Il y en a même à base de bouillons, de pommes de terre ou de fromage blanc. De quoi devenir folle, surtout que certains régimes contredisent les autres ! À force, cela finit par vous taper sur le système car vous avez la désagréable impression que tous ces messages vous sont plus particulièrement destinés, à vous, les rondes.

Et quand on ne parle pas vraiment de régime, c'est aux aliments qu'on s'en prend. Il y a les bons et les mauvais, les sucreries et la charcuterie à bannir, et les fameux cinq fruits et légumes à avaler chaque jour pour rester en bonne santé. Les profs, les infirmières et les médecins scolaires sont censés vous parler de nutrition. Il n'y a plus de distributeurs de friandises et de sodas dans les collèges et les lycées.

Les publicitaires ont l'interdiction formelle de faire une pub montrant des enfants prendre un petit déjeuner non équilibré. Et chaque film vantant les mérites d'une boisson ou d'une barre chocolatée est agrémenté d'un bandeau en bas de l'écran qui précise que « le grignotage est mauvais pour la santé » ou qu'« il faut manger ni trop gras, ni trop sucré, ni trop salé ». Ce n'est pas faux. Mais ce matraquage a des effets pervers : il vous pousse à contrôler votre nourriture et votre poids avec l'idée que celui-ci est loin d'être idéal.

Quand les complexes s'installent

En effet, comment se trouver jolie quand on n'est pas toute fine et que l'on vous vante à tout bout de champ les vertus de la minceur et des régimes ? C'est une véritable gageure à votre âge. Et ce pour plusieurs raisons : d'abord, vous êtes extrêmement sensibles à tout ce qui se passe autour de vous et, disons-le, très influençables. Vous n'avez généralement pas encore suffisamment confiance en vous pour affirmer tout de go : « Je m'en fiche, moi je suis comme je suis, et si j'ai trois kilos de plus que certaines filles, eh bien tant pis ! »

Au contraire, comme vous avez besoin de modèles féminins auxquels vous identifier, vous prenez ceux que la société vous offre sur un plateau : les chanteuses qui, lorsqu'elles sont rondes, se mettent à fondre quand vient la célébrité (même si les poitrines bien rondes ont aujourd'hui du succès, mieux vaut qu'elles surmontent une taille et des jambes fines). Et les mannequins qui sont incroyablement minces et frêles. Ce n'est pas un hasard si Kate Moss est surnommée « la brindille ». Vous finissez toutes un jour ou l'autre par vouloir leur ressembler… sans même vous demander si c'est possible.

Car enfin, une fille qui pèse 50 kilos et mesure 1,80 m n'est pas une fille ordinaire. Elle a une corpulence hors norme, tout simplement. Soit parce qu'elle ne mange pas ou à peine. Soit parce qu'elle est naturellement maigre et très grande à la fois, ce qui est une chose rare. Ajoutons à cela que, dans la mesure où votre propre corps est en train de changer, il vous inquiète. Tous les matins en vous regardant dans le miroir, ce que vous prenez un malin plaisir à faire pour contrôler l'évolution de vos petits bourrelets, vous avez du mal à vous reconnaître. Et donc à vous plaire. Où est passée la fille que vous étiez encore il y a peu, et ce corps de gamine auquel vous étiez habituée ? La puberté a tout changé, vous vous êtes arrondie, vous ne savez plus trop bien quoi penser de votre nouvelle silhouette. À votre âge et surtout si vous êtes un peu ronde, il suffit d'un rien pour que vous doutiez de vous, de votre physique et de votre capacité à plaire. Alors forcément, quand la société s'en mêle, cela renforce vos complexes.

La hantise des kilos en trop

D'ailleurs, les complexes qui se rapportent aux rondeurs apparaissent de plus en plus tôt. Avant, il n'y avait guère que les adultes à parler de poids et de régime. Mais depuis plusieurs années, les filles ont pris le relais. Dès l'âge de 10/11 ans, vous commencez à y penser, à vous comparer aux autres, à envier vos copines les plus menues. Le moindre bourrelet vous donne envie de rentrer sous terre, une cuisse dodue suffit à vous empêcher de vous mettre en maillot de bain, et quel cirque quand il s'agit d'acheter des sous-vêtements ! À chaque fois, vous bondissez hors de la

cabine d'essayage en criant : «Il faut que je maigrisse».
Daphné, 13 ans, pense avoir trouvé la solution : «Je
ne mange que des yaourts 0%, je ne bois que des
Coca light et je me prive de pain, de pâtes et de riz,
et comme ça je me sentirais beaucoup mieux la
prochaine fois que je ferai du shopping».

D'une certaine manière, le régime c'est rassurant :
cela semble être une solution miracle à tous les
problèmes. Et puis c'est une façon de reprendre en
main ce corps qui n'en fait qu'à sa tête : il s'arrondit,
il s'alourdit sans que vous ayez rien demandé.
Seulement voilà : l'envie de mincir et la phobie des
kilos superflus sont telles que certaines d'entre vous
développent une relation malsaine avec la nourriture.
À vos yeux, manger devient dangereux car chaque

aliment absorbé est susceptible de faire grossir. Quelques-unes tombent vraiment malades et deviennent anorexiques. Elles sont littéralement dégoûtées par la nourriture, trient à l'excès les aliments qu'elles ont dans leur assiette, et finissent par ne plus pouvoir manger du tout. Elles ont beau maigrir, elles se voient toujours trop grosses. D'autres s'alimentent, mais se font vomir.

On a beaucoup dit que l'anorexie s'expliquait par des problèmes familiaux. Mais aujourd'hui les spécialistes pensent qu'elle est aussi influencée par des facteurs extérieurs. Pour preuve : c'est une maladie rare dans les régions du monde où le culte de la minceur n'existe pas… Si jamais l'idée de cesser de vous alimenter ou de vous faire vomir après chaque repas ou excès alimentaire vous a traversé l'esprit, renoncez-y tout suite. Car elle vous entraînerait dans une spirale épouvantable, une véritable maladie psychique qui mine la santé et le moral, et dont vous auriez du mal à sortir.

L'influence des proches

Difficile aussi de rester insensible aux remarques et commentaires des personnes que vous côtoyez tous les jours. Elles aussi, elles ont leur mot à dire sur la beauté, les kilos en général et votre physique en particulier. Et ces mots font parfois mal, même s'ils sont lancés sans intention de nuire.

21

Les parents

Certains parents sont assez déten-dus avec les histoires de minceur ou de rondeurs. Ils vous aiment, un point c'est tout. Avec ou sans bourrelets. Ils vous trouvent sûrement jolie aussi, même s'ils ne pensent pas toujours à vous le dire. Ils sont peut-être un peu distraits, un peu pudiques, et surtout ils n'imaginent pas forcément que vous êtes si sensible à la question du poids. Ils ont peut-être aussi oublié leur propre adolescence… À moins qu'ils soient eux-mêmes un peu ronds sans y voir d'inconvénient. Dans certaines familles, les rondeurs sont légion et personne ne s'en inquiète ni ne suppose qu'elles peuvent vous indis-poser. Seulement voilà, comme vous êtes très sensible et un tout petit peu parano, vous en tirez deux conclusions : soit ils ne s'intéres-sent pas beaucoup à vous et aux problèmes que votre corps vous pose, soit ils se taisent pour éviter de vous dire la terrible vérité. Pour ne pas ruminer dans votre coin, posez leur directement la question. Leur réponse devrait vous mettre sur la voie.

S'ils vous disent quelque chose du genre : «Tu es un peu boulotte mais ravissante »

FAMILLE RONDEURS

La fille

chaot

ou : « Mais tu sais, nous on t'aime comme tu es », ou encore : « Ne t'inquiète donc pas, dans la famille on est tous costauds », vous pourrez logiquement en conclure que vous avez effectivement quelques rondeurs, éventuellement superflues.

Si en revanche, ils s'exclament : « Toi trop grosse ? Non mais où vas-tu chercher cela ! », vous saurez aussi à quoi vous en tenir. Vous n'êtes sans doute pas si grosse que cela. Car ils ne peuvent tout de même pas vous regarder droit dans les yeux en vous mentant effrontément.

Parmi les parents qui dédramatisent, il y a aussi ceux qui ont souffert eux-mêmes de leurs rondeurs quand ils avaient votre âge et ne veulent surtout pas que vous viviez cela. Leurs parents les harcelaient avec leur poids, eux prennent le parti inverse : ne pas vous ennuyer avec cela pour ne pas vous complexer. C'est une bonne chose, mais cela peut aussi vous desservir si vous avez besoin d'une oreille attentive au sujet de votre poids. Dans ce cas, pourquoi ne pas engager la conversation de vous-même, en les questionnant sur leur poids et leurs complexes à l'adolescence ?

Mais il existe une autre catégorie de parents : les fanas de la santé. Ceux-là sont comme vous très sensibles au « discours » de la société. Et très (trop ?) soucieux de votre santé. Ils n'achètent pas n'importe quoi au supermarché, évitent de remplir les placards de chocolat et de gâteaux secs et font les gros yeux si vous commandez un Coca au restaurant ou si vous allez au Mc Do avec des copines. Ils veulent que vous mangiez équilibré et ils ont raison. Seulement vous interprétez parfois mal l'intérêt qu'ils portent à votre alimentation. S'ils se comportent ainsi, c'est que vous avez des kilos en trop, pensez-vous. Mais avez-vous imaginé un seul instant qu'ils agiraient de la même manière si vous étiez toute fine ? Car même les personnes très minces ont intérêt à bien se nourrir.

Le problème, c'est que de la vigilance au stress, il n'y a qu'un pas. Or certains parents sont tellement anxieux qu'ils vous communiquent leurs angoisses. Ils ont peur que vous preniez du poids, que vous soyez trop ronde, peut-être aussi parce qu'il y a des personnes en surpoids dans la famille. Il est normal que les parents s'inquiètent de votre poids puisqu'ils se soucient de votre santé. Le poids et la santé vont de pair. Si vous êtes vraiment trop grosse, vous risquez de ne pas être en bonne santé. Seulement voilà : leur « souci » prend souvent des formes maladroites. Ils scrutent le contenu de votre assiette, soupirent si vous vous resservez, et

Cha 07

cela vous met très mal à l'aise. Eux sont inquiets, mais vous avez l'impression qu'ils vous surveillent en permanence. Au point qu'il vous arrive de grignoter en cachette pour échapper à leur regard et de foncer dans une boulangerie pour manger enfin ces pâtisseries qui vous sont plus ou moins explicitement défendues. Mais à agir ainsi « par-derrière », vous finissez par développer une image assez négative de vous-même. Et vous vous trouvez encore plus moche.

Le pire, ce sont les mères qui sont au régime, qu'elles soient ou non trop grosses. Elles se privent, passent leur temps à dire qu'elles se surveillent, à parler des kilos qu'elles ont perdus ou regagnés. Et, sous prétexte que vous n'êtes pas toute mince vous non plus, elles vous embarquent dans le même bateau, sans faire de différence entre elles et vous. Elles vous conseillent sur votre alimentation, sourient quand vous préférez les légumes verts aux frites, sont prêtes à vous acheter une balance, et vous disent certains jours avec une satisfaction

évidente : « Mais dis-moi, on dirait que tu as minci ! » Bien sûr, vous prenez cela comme un compliment.

Cela vous fait plaisir puisque vous vous trouvez trop ronde et que les commentaires de votre mère ont beaucoup d'importance à vos yeux. Après tout, elle sait, c'est une femme… Mais ses remarques ont un effet pervers : elles nourrissent votre obsession pour le poids et alimentent parfois aussi une rivalité entre elle et vous. C'est un peu à celle qui sera la plus mince, la plus jolie.

Restent les parents maladroits. Ceux qui parlent de vous à leurs amis en disant : « Carine, elle se pose là », ou bien encore : « Figure-toi que je suis obligée de l'habiller en 38, à son âge… ». Ceux aussi qui vous appellent tendrement « ma petite brioche » en vous pinçant le gras du ventre. Ou qui vont vous lancer un beau matin : « Tu es boudinée dans ton jean ! » Il arrive que ces remarques soient intentionnelles, une façon comme une autre de vous dire qu'à leurs yeux vous êtes un peu trop forte. Mais la plupart du temps, vos parents ne veulent pas vous blesser, ils manquent juste de tact. Piquée au vif, vous vivez cela évidemment très mal.

Les copines

Dans le genre « gaffeuses », les copines aussi s'y connaissent. Les ultraminces ont parfois le chic pour se vanter de ne jamais prendre un gramme en avalant tout ce qu'elles veulent. Il suffit qu'elles lancent un regard bien compris dans votre direction pour que vous vous sentiez mal. Il peut leur arriver aussi de vouloir vous prêter un vêtement, puis de se reprendre en disant : « Ah ben non, tu ne rentreras jamais dedans. » Si jamais il y a du monde autour de vous, c'est l'horreur. Vous avez l'impression d'être « la grosse ».

Tout comme quand votre meilleure amie vous dit : « Il t'avantage, ce maillot de bain. » Vous n'imaginez pas que cette remarque puisse être un compliment, une façon de vous dire que vous êtes jolie. Non, si ce maillot de bain vous avantage, c'est forcément que vous avez besoin d'artifices pour être à peu près regardable. N'est-ce pas ?

Il y a aussi les copines complexées, par leurs supposées rondeurs ou par autre chose, mais qui ont envie de former un clan rassurant : celui des filles pas « top », qui se serrent les coudes. Leur but : échanger avec vous des petites astuces pour mincir ou pour dissimuler les bourrelets. Et trouver à tout prix aussi des défauts aux autres filles, à celles qui sont soi-disant « bien foutues », c'est-à-dire très minces, voire maigres. Tout cela est bien sympa, mais parfois pesant. Car cela vous enferme un peu dans vos problèmes.

Et comment ignorer celles qui vous lancent des piques en sachant parfaitement ce qu'elles font ? C'est odieux, mais il ne faut pas toujours y voir de la méchanceté. En fait, comme vous, l'adolescence les ronge : elles cherchent à s'attirer les faveurs des garçons, n'ont pas beaucoup confiance en elles, et elles ont besoin de

— Suis-je trop ronde ? —

se rassurer. Quoi de mieux, pour ce faire, que de dénigrer les autres filles ? Comme elles savent que vous êtes chatouilleuse sur la question du poids, c'est là qu'elles vous attaquent. D'ailleurs, il vous arrive peut-être de faire de même : vous traitez de « grande perche » une fille très grande, quitte à renforcer son complexe lié à la taille.

« Même pas mal ! »… Pour avoir l'air indifférent aux remarques des autres filles, beaucoup d'entre vous essaient de compenser leurs rondeurs par un caractère particulièrement joyeux. Vous blaguez volontiers et endossez le rôle de la comique de service. Certaines n'hésitent pas à se moquer d'elles-mêmes comme pour couper l'herbe sous le pied des mauvais plaisantins. « J'en avais tellement marre que les copines me charrient sur mes grosses fesses que je passais mon temps à y faire allusion moi-même. Quand j'allais au cinéma avec elles, je disais par exemple : "Attention, planque-toi, madame Popotin arrive et va prendre toute la place" », se souvient Hélène.

Fort heureusement, il y a aussi les vraies amies, celles qui ne cherchent pas à rivaliser avec vous et qui sont capables de vous dire qu'elles vous trouvent très bien, très jolie, pas grosse du tout. Cela fait chaud au cœur. Et certains jours, vous êtes bien tentée de les croire. Malheureusement, il vous arrive aussi de vous dire qu'elles vous disent cela parce qu'elles vous aiment… Vous est-il déjà arrivé de penser qu'elles sont peut-être objectives ?

Les garçons

L'avis des garçons compte évidemment beaucoup. Car vous voulez leur plaire. C'est bien normal à votre âge. Le problème, c'est qu'ils ne sont pas toujours rassurants. Loin de là ! Eux aussi peuvent se montrer vexants. Certains ont d'ailleurs le chic pour déceler vos points faibles et vous affubler de surnoms pas toujours flatteurs : « la mère dodue », « miss gros nichons », « la boule »… C'est souvent pour frimer : il s'agit de faire les intéressants devant les copains, de montrer qu'ils sont capables de mettre les filles en boîte. Il est vrai aussi que, comme vous, les garçons sont influencés par les images de mannequins et de chanteuses à succès. Puisqu'on leur dit que ces filles sont belles, ils finissent par penser eux aussi qu'elles sont belles. Ils se persuadent également que, pour avoir l'air d'un vrai mec et ne surtout pas se démarquer des copains, il faut aimer les filles minces.

Et ne pas s'afficher avec une fille potelée. Ils sont encore bien trop jeunes pour oser affirmer des goûts différents et dire que leur préférence va aux rondeurs… Ils ne le savent peut-être même pas encore. Le problème, c'est que, tant qu'ils ne sont pas mûrs ils ont une attitude qui renforce vos complexes.

Vous pensez que vous êtes moche et que vous ne plairez jamais à personne… à moins de maigrir. C'est pourtant parfaitement faux, parce que, lorsqu'ils grandissent, beaucoup de garçons réalisent qu'ils apprécient les filles qui ont des formes.

Et puis, dites-vous une chose : quand les garçons vous font des remarques sur votre physique, c'est parfois pour faire les intéressants, sans mesurer à quel point leurs remarques sur vos rondeurs peuvent vous blesser. Car, à moins d'être ronds eux-mêmes, ils ignorent les complexes des filles de votre âge (ils sont, eux, souvent moins complexés par leur poids). Leurs plaisanteries sont une manière d'attirer votre attention. Quand ils blaguent sur vos fesses rebondies, ce n'est pas forcément qu'ils les trouvent trop grosses. C'est peut-être aussi qu'ils s'intéressent drôlement à vos fesses !

Ce que disent les médecins

Il est vrai que la question du poids ne laisse pas non plus les médecins indifférents. À peine êtes-

vous entrée dans leur cabinet, qu'ils veulent savoir combien vous pesez, combien vous mesurez. Quand ils ne vous demandent pas carrément de monter sur cette horrible balance. De leur point de vue, c'est normal, mais pour vous c'est un moment désagréable car vous redoutez toujours de peser trop lourd. Cela dit, il faut leur reconnaître une chose : cette manière de faire permet à beaucoup de filles de réaliser qu'elles ont un poids normal. C'est souvent aussi un moyen d'engager avec vous la discussion sur ce sujet délicat et de vous faire comprendre ce qui se passe dans votre corps et quelle attitude il convient d'adopter. Bref, les médecins vous aident à mettre une dose d'objectivité dans vos raisonnements parfois très irrationnels sur la question du poids.

L'inéluctable prise de poids

Avant toute chose, dites-vous bien qu'à l'adolescence, on prend des kilos. C'est ainsi. La plupart des jeunes doublent carrément leur poids entre 10 et 18 ans. Et, entre 10 et 15 ans, les filles prennent en moyenne une vingtaine de kilos ! Bien sûr, ce ne sont pas tous des kilos de graisse : plus de la moitié d'entre eux s'expliquent par le fait que vous avez grandi et forci. Et les os, les muscles pèsent lourd. Ce sont des masses maigres, mais qui se voient sur la balance. Conclusion : si vous ne pesiez pas plus lourd à votre âge qu'il y a trois ou quatre ans, ce serait vraiment inquiétant.

Bien sûr, toutes les filles ne prennent pas du poids au même rythme. Celles qui ont une puberté plus tardive gardent plus longtemps leur corps de petite fille. Vous comparer à elles si vous êtes réglée depuis trois ans alors qu'elles viennent tout juste d'avoir leurs règles (ou ne les ont pas encore) ne rime à rien. De plus, la manière dont la graisse se répartit sur l'ensemble du corps varie aussi d'une fille à l'autre. Il y a celles qui vont stocker plus de graisse sur les cuisses, celles qui en ont sur les hanches, celles qui sont tout en courbes un peu partout… Et ce n'est pas parce que vous avez des cuisses plus dodues que celles de vos copines que vous avez du poids à perdre. De même, vous pouvez paraître ronde sans être vraiment lourde : c'est une question d'ossature et de conformation.

Il ne faut donc pas nécessairement vous fier à votre apparence pour en conclure que vous devez maigrir. Car vous aurez beau faire des régimes, ils ne changeront rien à votre structure osseuse qui vous fait des hanches larges par exemple. Il ne faut pas non plus vous comparer à votre frère si vous en avez un, car les filles ont naturellement plus de graisse que les garçons. Mais plus ne veut pas toujours dire trop…

Les courbes de poids

Pour lever vos doutes sur vos rondeurs supposées superflues, il y a un moyen très fiable et auquel se fient tous les médecins : vous situer sur les courbes de corpulence. Ces courbes figurent obligatoirement sur tous les carnets de santé. Elles ont été établies par un groupe d'experts internationaux pour définir avec précision les zones de normalité, de surpoids et d'obésité, en tenant compte évidemment de votre âge et de votre sexe. Demandez votre carnet de santé à vos parents et reportez-vous au tableau reproduit sur la page concernant les filles. Pour savoir si vous êtes trop grosse selon les critères médicaux, vous devez vous situer sur ce tableau, en croisant votre âge avec votre IMC.

Ces initiales signifient : « indice de masse corporelle ». C'est un chiffre qui correspond au poids en kilogrammes, divisé par le carré de la taille en mètres. Un peu trop compliqué ? Prenons un exemple : si vous

pesez 45 kilos et que vous mesurez 1,50 m, vous calculez votre taille au carré soit : 1,50 x 1,50 = 2,25. Et vous divisez votre poids par ce chiffre : 45 : 2,25. Vous obtenez 20. Selon la courbe de corpulence, un IMC qui se situe entre 16 et 23 pour une fille âgée de 13 ans est normal ; il révèle un rapport entre le poids, la taille et l'âge qui ne s'apparente ni au surpoids ni à la maigreur. Au-delà d'un IMC de 23, une fille de 13 ans est en surpoids. Mais attention, un an plus tard, la donne change : si à 14 ans, la même jeune fille a toujours un IMC à 23, elle est dans la normale.

Vous devez retenir de tout cela la chose suivante : pour une taille donnée, on peut peser un poids variable tout en étant considéré en bonne santé par le corps médical. Ainsi, une fille de 13 ans qui mesure 1,55 m aura un IMC normal, qu'elle pèse 43 ou 55 kilos. Sur la fameuse courbe de corpulence, la fille qui pèse 55 kilos se situera plutôt en haut, l'autre en dessous.

Si toutefois vous vous considérez trop ronde avec un IMC normal, c'est que vos kilos pèsent plus lourd dans votre tête que sur la balance et dans l'esprit des médecins. Et si jamais vous vous situez tout à fait en haut de la courbe, voire très légèrement au-dessus, ne dramatisez pas non plus. Vous n'êtes pas obèse. Il va juste falloir surveiller l'évolution de votre poids, faire en sorte que vous ne vous écartiez pas davantage de cette courbe, éventuellement mincir légèrement. Ce qui ne veut pas dire vous mettre du jour au lendemain à suivre un régime drastique. Surtout pas !

— Suis-je trop ronde ? —

Mincir, tout au plus !

En effet, les nutritionnistes aujourd'hui l'affirment : sauf surpoids vraiment très important, on ne met pas un adolescent au régime. Sûrement pas un ado dont l'IMC est normal. Et pas plus un ado qui se situerait autour de la limite supérieure. Les régimes restrictifs ont fait trop de dégâts et ne sont pas nécessairement adaptés aux jeunes de votre âge. Pourquoi ? Parce que vous n'avez pas fini votre croissance. Vous allez encore grandir sans nécessairement vous épaissir beaucoup. Vous allez donc vous affiner.

En conséquence, votre rapport poids/taille est encore susceptible de changer dans les années à venir. Vous êtes peut-être ronde à 14 ans, mais serez plus mince à 18 ans. De même, vous allez sans doute encore prendre du muscle, et ce muscle peut aussi remplacer une partie de la graisse que vous avez stockée jusque-là. Donc, pour les adolescents un peu trop ronds du point de vue médical, les spécialistes ne raisonnent pas du tout de la même manière que pour les adultes : ils préconisent plutôt de miser sur cette croissance à venir, tout en essayant de maintenir le poids. En clair, ils veulent que vous grandissiez en prenant le moins de poids possible. C'est ce qui s'appelle mincir. Pour y parvenir, il ne faut pas cesser de s'alimenter, mais manger équilibré, de tout et à sa faim, sans plus. C'est-à-dire se nourrir sans excès, sans se resservir systématiquement, sans trop céder à la gourmandise et au grignotage entre les repas. Et c'est très différent d'un régime amaigrissant, qui consiste à se restreindre beaucoup pour perdre de la graisse. Seule une toute petite minorité d'ados a besoin de maigrir. Ces jeunes-là ont atteint un poids qui menace leur santé : ils font 15, 20, 30 kilos de trop et se situent très au-delà des courbes de corpulence. Ils ont du mal à bouger, ils risquent de développer des maladies. Il faut donc les aider à perdre du poids assez vite.

La balance : à manier avec précaution

La balance ne vous dit pas si vous êtes trop ronde ou non. Elle vous donne juste un chiffre, qui change selon le moment de la journée où vous vous pesez. En clair, on pèse plus le soir ou après un repas, que le matin à jeun et en petite tenue. De même, beaucoup de filles pèsent plus quand elles ont leurs règles. En effet, à cette période du cycle, on fait de la rétention d'eau. Au lieu de s'éliminer, l'eau reste dans les tissus et peut faire bouger l'aiguille de la balance d'un bon kilo. Sachez aussi que le poids s'analyse sur le moyen terme : vous pouvez peser un peu plus lourd que d'habitude si vous avez mangé un peu plus que de coutume durant toute une semaine (en vacances par exemple), mais vous reperdez ces quelques centaines de grammes la semaine suivante quand vous avez repris votre alimentation habituelle. Alors, inutile de vous peser tous les jours. C'est le meilleur moyen de devenir complètement dingue.

chapitre

2

Le régime
n'est pas
une solution

Chaor

La tentation du régime

Beaucoup d'entre vous sont tentées de céder aux sirènes du régime. Vous êtes tellement complexées et mal dans votre peau, que vous décidez, dans votre coin, souvent sans prendre l'avis de personne, ni d'un médecin ni de vos parents, de vous restreindre sérieusement pour perdre enfin ces satanés kilos. Erreur. Car généralement vous vous privez de façon anarchique sans savoir si c'est judicieux sur le plan diététique et bon pour votre santé. Vous pensez qu'avec un peu de volonté, en quelques semaines, le tour sera joué. Mais avant de vous lancer dans cette aventure, prenez bien le temps de peser le pour et le contre. Car si c'est une bonne idée de vouloir prendre votre corps en main, le régime restrictif, qui consiste non pas à manger mieux mais à manger beaucoup moins, n'est pas la bonne solution. En effet, dompter durablement son appétit n'est pas une chose facile à faire. Et puis ce n'est pas sans risque !

Il peut nuire à votre santé

Faire un régime, c'est manger moins, pour diminuer les apports caloriques quotidiens. Très souvent, quand on se met seule au régime (pour faire comme les copines, pour ne pas avoir à se justifier auprès des parents, ou simplement parce que c'est une affaire personnelle et intime), on décide de bannir certains aliments jugés trop riches, de sauter des repas, de grignoter sans vraiment se mettre à table… Bref, on se prive de tout et parfois de n'importe quoi, sans bien en mesurer les conséquences sur le corps. Et pourtant, ce corps, il réagit, mais pas toujours comme vous l'espérez. À 13 ans, que connaissez-vous des aliments, de ce qu'ils contiennent, de la manière dont votre corps s'en sert ? Souvent pas grand-chose et c'est bien là le problème.

41

Gare aux carences alimentaires

À l'adolescence vos besoins nutritionnels importants. Vous êtes en pleine croissance, votre masse musculaire augmente. Votre corps a besoin d'énergie pour accomplir tous ces changements. Un peu comme quand vous faites du sport et qu'il vous faut un petit remontant pour tenir le coup. C'est pourquoi vous devez manger davantage que les adultes. Eux, ils ne grandissent plus. Ne vous référez donc pas à la quantité de nourriture qu'absorbent votre mère ou votre

grande sœur de 20 ans. Elles ont leur taille et leur corpulence définitives, pas vous. Selon le Dr Serog, médecin nutritionniste, entre 11 et 14 ans, vos besoins énergétiques quotidiens sont de 2 200 à 2 300 kilocalories. Ensuite, et jusqu'à l'âge de 18 ans, ils seront de 2 300 à 2 500 kilocalories. Jamais, dans votre vie ultérieure, vous ne retrouverez de tels besoins. Si vous apportez nettement moins de calories à votre organisme, celui-ci va puiser dans ses réserves, donc vous maigrirez, mais vous risquerez de vous sentir toute faible et fatiguée (car votre corps était jusque-là habitué à fonctionner avec plus d'énergie). De plus, vous vous exposez à de sérieux risques de carences, principalement :

▶ des carences en calcium

Certaines filles suppriment les laitages ou les diminuent drastiquement sous prétexte qu'ils font grossir, mais c'est un tort, car pour bien grandir et devenir solides vos os ont besoin de calcium. S'ils en manquent, ils se développeront moins bien, moins vite et seront plus fragiles. Vous risquez alors d'être plus petite et plus sujette aux fractures. Voilà pourquoi les médecins recommandent aux adolescents de consommer au moins un laitage à chaque repas.

À noter : le calcium se trouve essentiellement dans le lait, les yaourts, le fromage blanc, les petits-suisses et le fromage.

43

▶ des carences en fer

Le fer assure la bonne santé de vos globules rouges et de votre sang. Si vous ne mangez pas régulièrement des aliments riches en fer, vous risquez l'anémie (le manque de fer). Surtout à partir du moment où vous avez vos règles. Car les pertes de sang mensuelles diminuent la quantité de fer que vous avez dans le corps. La carence en fer est vraiment très ennuyeuse car elle provoque une sensation d'épuisement, qui peut s'accompagner de troubles de la mémoire et de tendances dépressives. Concrètement, vous risquez d'avoir du mal à vous lever le matin, à suivre les cours, à apprendre vos leçons… Sans parler de la baisse de moral qui accompagnera tous ces désagréments. Mais ce n'est pas tout ! Le manque de fer peut aussi provoquer une chute de cheveux, des palpitations, des vertiges, des infections plus fréquentes.

À noter : le fer se trouve en grande quantité dans la viande (notamment le bœuf), le poisson, les œufs, le foie et, dans une moindre mesure, dans les céréales et les légumes secs comme les pois chiches et les lentilles.

▶ des carences en vitamines

Les vitamines A, B, D notamment sont elles aussi susceptibles de diminuer en trop grande quantité si vous faites un régime trop restrictif. Or, vous en avez besoin ! La vitamine D aide le calcium à bien pénétrer dans l'organisme et elle facilite aussi la croissance osseuse. Si vous en manquez, vous risquez là encore de moins bien grandir. La vitamine A est indispensable à une bonne vision et au bon entretien de la peau. C'est elle qui évite d'avoir trop de boutons, la peau grasse…

Quant aux vitamines B, tout simplement apportées par une alimentation variée, elles jouent de multiples rôles dans le bon fonctionnement de l'organisme et dans la régulation de l'humeur : elles aident à lutter contre le stress, les tendances dépressives.

À noter : la vitamine D se trouve dans les poissons gras (saumon, hareng…), le foie, le beurre, le jaune d'œuf.
La vitamine A se trouve dans les viandes, poissons, œufs, produits laitiers, légumes, fruits.

Votre corps a aussi impérativement besoin de :

▶ protéines

Elles jouent un rôle primordial dans l'organisme : elles participent au renouvellement quotidien de la peau, des ongles, des cheveux et des tissus musculaires ; bref, c'est grâce à elles que vous avez une bonne mine et de bons muscles. Mais ce n'est pas tout : les protéines aident votre organisme à se défendre contre les maladies. Si vous manquez de protéines, vous serez donc moins résistantes aux rhumes, aux petites infections… Enfin, comme le calcium, elles sont indispensables à la croissance.

À noter : les protéines se trouvent principalement dans la viande et les laitages.

▶ graisses, notamment sous forme d'acides gras essentiels

Si vous n'absorbez pas d'huile végétale, vous serez en moins bonne santé.

▶ sucres

C'est en général le sucre que vous cherchez à supprimer. Mais il n'est pas souhaitable de le supprimer totalement. En effet, il est le principal carburant de

46

votre corps. C'est d'ailleurs pour cela qu'on vous conseille de manger un petit morceau de sucre en cas de grand coup de pompe. Bien sûr, si vous en mangez trop, vous allez grossir, mais il faut en absorber quand même un peu sinon vous vous sentirez toute faible et vous risquerez d'avoir des fringales. Sachez aussi qu'une diminution trop forte de glucides (sucres) et de protéines peut provoquer des troubles du cycle menstruel, voire un arrêt des règles.

Enfin, si vous manquez à la fois de glucides, de graisses et de vitamines, votre cerveau ne pourra pas se nourrir convenablement. Vous risquez alors des troubles de la concentration, de la mémoire et de l'apprentissage. Ce qui risque de compromettre votre travail et vos résultats scolaires.

Chaof

Vous risquez de regrossir

Le pire, c'est que le régime restrictif (qui, rappelons-le, consiste à s'alimenter nettement moins) ne vous donne pas non plus une assurance d'amaigrissement sur le long terme. Si vous vous mettez à manger beaucoup moins qu'avant, vous allez maigrir, c'est sûr… mais vos chances sont grandes aussi de reprendre les kilos perdus dans les mois qui suivent. Car un organisme qui subit des privations pendant quelque temps a tendance à stocker la nourriture supplémentaire qu'il reçoit ensuite. Il a une mémoire et fait en quelque sorte des réserves pour parer à une éventuelle privation ultérieure. Et ce, même si vous ne vous mettez pas à manger comme quatre après l'arrêt du régime. Il suffit en effet de se remettre à manger un peu plus pour reprendre du poids. Car

Cha 07

c'est la différence entre le nombre de calories absorbées pendant le régime et celles prises ensuite qui fait regrossir. Tout se passe donc comme si votre organisme faisait un méchant calcul.

Par ailleurs, quand on se restreint longtemps, il y a un jour où l'on craque. Et quand on craque, il se passe deux choses : d'abord, on absorbe généralement plus de nourriture qu'on ne l'aurait fait sans privation préalable. Par exemple, au lieu de manger deux carrés de chocolat, on mange la moitié de la tablette, comme pour compenser des jours et des jours de privation. On se venge, on se lâche. Et l'on finit nécessairement par reprendre du poids.

Mais ce n'est pas tout : lorsqu'on regrossit après avoir suivi un régime sauvage, on reprend généralement plus de poids qu'on en a perdu. Toutes les études le

prouvent. Certaines personnes remangent un peu trop. Mais beaucoup ont tout simplement le métabolisme si chamboulé que leur corps fait n'importe quoi et stocke la nourriture. Il semble que les cellules graisseuses, dont la taille a diminué avec le régime, ne demandent qu'à se remplir le plus vite possible. Souvent ensuite, on souhaite perdre à nouveau ces kilos, et l'on entre ainsi dans un cercle vicieux dont il est difficile de sortir. La très grande majorité des gens qui ont suivi une succession de régimes restrictifs ont maigri, regrossi, maigri, regrossi ; c'est ce que les spécialistes appellent « faire le yoyo ». Ils finissent par détraquer leur organisme, et accumulent inexorablement les kilos supplémentaires d'année en année. Avouez que c'est un comble. Il est donc nettement plus sage de ne pas vous embarquer dans cette galère, surtout si votre poids ne menace pas votre santé. Il y a très peu de régimes qui marchent sur le long terme. Ce qui marche à coup sûr, ce n'est pas de se priver, c'est de s'alimenter sans excès et de façon équilibrée.

Il peut être dangereux pour le moral

Le régime n'a pas que des effets sur le corps. Il a aussi de sérieuses répercussions sur l'humeur. Bien sûr, au début, vous avez un moral d'acier : vous êtes décidée, rien ne vous détournera de votre objectif

50

et vous trouvez d'ailleurs très facile de vous priver. Ensuite, après avoir perdu vos premiers kilos, c'est l'euphorie : vous vous sentez moins boudinée dans votre jean, vous allez le cœur léger faire un peu de shopping avec les copines. Mais à la longue, ce n'est pas si simple…

Car on ne peut pas se priver tout le temps

Bien sûr, on peut renoncer un temps à se régaler d'un bon gâteau, passer avec indifférence devant les boulangeries et rester de marbre quand les copains se goinfrent de frites au fast-food. Mais au bout de quelques semaines ou de quelques mois, rien ne va plus. Voir toutes ces bonnes choses vous passer sous le nez finit par être intolérable. Et c'est normal : personne ne peut se priver sans cesse de tout ce qu'il aime. Or ce sont précisément vos aliments préférés, les pâtisseries, le chocolat, les glaces, le fromage, les pâtes en sauce, la charcuterie, les viennoiseries que vous rayez de vos menus, parce que vous savez qu'ils font grossir. La frustration est d'autant plus grande que ces aliments sont également ceux que vous partagez d'ordinaire le plus facilement avec vos copains. C'est souvent en bande qu'on mange des glaces, des hamburgers, des grands plats de nouilles.

Un jour ou l'autre, vous n'en pouvez plus. Alors vous vous mettez à grignoter, à chiper par-ci par-là un biscuit, une barre de chocolat, un morceau de fromage, une banane. Ou bien vous décidez de fuir les petites soirées, les moments agréables avec vos amis, de peur d'être tentée de vider la moitié d'un paquet de gâteaux et d'une bouteille de Coca. Mais vous vous retrouvez seule… Ou bien vous envoyez promener votre régime, et vous vous défoulez sur toutes les chips ou friandises qui sont à portée de main, parfois jusqu'à l'écœurement. Mais le pire, c'est le sentiment de culpabilité qui naît juste après. Vous vous dites alors : « Mais qu'ai-je fait là ? Je n'aurais pas dû. Je vais mettre tout mon régime par terre. » Alors vous vous en voulez, vous vous trouvez nulle, sans volonté. Bref, vous vous torturez l'esprit après vous être déjà tellement privée. «À chaque fois que je faisais une entorse à mon régime, je me sentais affreusement mal, alors que j'aurais dû me féliciter d'avoir déjà fourni tant d'efforts. Mais de cela, j'étais incapable », raconte Jeanne, 18 ans. Jeanne a fait au moins cinq régimes entre 14 et 16 ans, et elle y a finalement renoncé parce que c'était trop dur à vivre, dit-elle.

La nourriture, une ennemie ?

Quand on veut maigrir, ou qu'on craint de regrossir après avoir perdu du poids, la nourriture devient une obsession permanente. Elle fait envie, mais on s'en méfie aussi. «Quand je me mets à table le soir à la maison, j'analyse rapidement la situation et je sélectionne mentalement les aliments que je vais manger et ceux dont je vais me priver », explique Carine. Même chose si vos parents vous emmènent au restaurant. Là, c'est le casse-tête du menu qui ne contient rien de très diététique à vos yeux. Aussi, plutôt que de profiter d'une sortie en famille, vous avez les yeux rivés sur la portion de frites qui accompagne votre steak. Allez-vous en manger ou pas ? Et le dessert, allez-vous en prendre ou non ? Et si vous y renoncez, saurez-vous ne pas céder à la tentation d'en chiper un peu à votre petit frère ? Après des semaines passées à vivre ce dilemme, vous finissez par regarder tous les plats, tous les aliments comme des menaces potentielles. Et c'est malsain !

Car la nourriture n'est pas une ennemie mais une amie au contraire : avant de vous faire grossir, elle vous fait vivre et grandir. Elle vous permet aussi de prendre du plaisir. Sinon, à quoi serviraient tous les petits capteurs de goûts et d'odeurs que nous avons sur la langue, dans le nez ?

Bien sûr, il y a d'autres plaisirs dans la vie, mais celui de manger en fait partie et il serait dommage de vous en priver. Contrairement à ce que vous pensez peut-être, il est normal d'avoir de l'appétit, de se régaler, de se lécher les babines. L'inverse, c'est-à-dire l'aversion pour la nourriture, serait plutôt inquiétant. Seulement voilà : à votre âge, vous êtes entiers, radicaux, excessifs. Vous ne faites pas dans la modération, dans vos jugements et dans votre manière de parler… ni non plus quand vous prenez la décision de maigrir.

Il y a une autre manie qui vient généralement avec le régime : c'est la diabolisation de certains aliments. Puisqu'ils font grossir, vous décidez de les bannir à jamais, de faire comme s'ils n'existaient pas. Cela n'a pas de sens. Mieux vaut vous habituer à vivre avec tous les aliments qui vous environnent, manger de tout y compris des desserts, mais en quantité raisonnable pour rester en bonne santé. Et vous dire que ce n'est pas nécessairement à cause de la nourriture qu'on perd ou non des kilos.

Vous risquez de devenir triste, nerveuse, pas marrante

En effet, selon les médecins, le stress fait grossir. Mais ce qui est terrible, c'est que le régime engendre souvent du stress à son tour. À force de se priver, beaucoup de filles deviennent de vraies boules de nerfs. Certaines se mettent à se ronger les ongles, d'autres deviennent hyperirritables.

Il y a aussi des moments de tristesse inexpliquée, de découragement devant l'aiguille de la balance qui ne baisse pas suffisamment, ou les bourrelets qui ne fondent pas aussi vite qu'on l'aurait voulu. Certaines filles qui ont maigri réalisent qu'elles sont toujours aussi insatisfaites de leur corps. C'est un constat terrible, mais malheureusement fréquent. Car à l'adolescence on met souvent sur le compte du poids des problèmes qui n'ont pourtant rien à voir : un manque de confiance en soi, une peur de devenir femme, la crainte de ne pas plaire, de ne pas avoir un corps normal…

Cet état intérieur, mélange de nervosité, d'inquiétude, de déception, de frustration, rejaillit forcément sur les relations amicales et familiales. Une fille au régime est souvent de mauvaise humeur, boude, manque d'enthousiasme et envoie promener tout le monde. À la longue, les proches réagissent, font des remarques.

56

Johanne se souvient. « Mes copains et ma sœur me disaient : "Mais que t'arrive-t-il ? On ne te reconnaît plus !", et moi je ne comprenais pas. Aujourd'hui, c'est évident : je n'étais effectivement plus la même. »

Des comportements dangereux

Croyant avoir trouvé la bonne solution pour maigrir vite, certaines filles emploient les grands moyens. Elles se privent au point de s'affamer littéralement : elles mangent à peine, elles sautent des repas, elles jeûnent. D'autres se font vomir après avoir mangé, histoire de ne pas garder ces aliments dans leur corps. Il arrive aussi qu'elles aient recours à des laxatifs et à des médicaments supposés amaigrissants. Plus récemment, on observe que certaines adolescentes continuent de fumer ou se mettent à fumer pour perdre du poids, sous prétexte que fumer brûle des calories. Inutile de dire que toutes ces manières de faire présentent un vrai danger pour la santé. Et provoquent parfois l'interruption des règles.

chapitre

3

Accepter
son corps

En paix avec vos formes

Et pourquoi ne pas faire la paix avec vos rondeurs ? Cela vous éviterait de céder à la tentation d'un régime fantaisiste et restrictif. Et puis ce serait tellement plus simple, tellement plus reposant. Car franchement, se lamenter sur son sort, envier les copines fil de fer et se regarder avec un air misérable dans chaque miroir ou reflet de vitrine, c'est vraiment déprimant à la longue. Vous n'allez pas passer votre vie à faire la tête à votre corps, à batailler contre vous-même. Si l'on y réfléchit bien, ce serait complètement fou ! Pour vous sentir mieux, essayez donc d'adopter une autre attitude, plus positive, et de composer avec le corps dont vous avez hérité. Il ne s'agit pas là d'un renoncement, mais plutôt d'une réconciliation avec vous-même.

Prendre du recul

La première étape consiste à porter un jugement plus indulgent sur vous. Beaucoup de filles rondes ont la dent très dure sur leur corps, sans doute à la mesure de l'exigence qu'elles ont à son égard. Souvent aussi, elles s'en veulent. Comme si elles avaient fait une bêtise ou commis une faute. Mais à moins de vous gaver ou de passer votre temps à grignoter des friandises, vous n'êtes pas responsable, encore moins coupable de vos rondeurs. Simplement, vous avez sans doute hérité d'un corps qui assimile la nourriture de telle manière que vous avez tendance à prendre du poids.

C'est la faute des gènes

Votre métabolisme, lent, dépense peu d'énergie. Si bien qu'il vous expose à la prise de poids. Au moindre excès alimentaire, vous stockez. Tout se passe comme si votre corps était « programmé » pour fonctionner à l'économie et pour faire des réserves de graisse. Voilà qui était précieux à certaines époques, quand il fallait affronter des famines par exemple. C'était alors les personnes qui avaient tendance à stocker qui s'en sortaient le mieux. Comme elles ne mangeaient pas toujours à leur faim, et qu'elles se dépensaient physiquement (en faisant des travaux des champs par exemple), elles ne grossissaient pas. Mais elles étaient résistantes. Alors que celles, naturellement maigres, dotées d'un métabolisme rapide qui brûle toutes les calories qu'elles absorbent, se retrouvaient vite en difficulté.

Aujourd'hui, tout est différent car nous vivons dans une société d'abondance et que notre vie quotidienne est moins dure. Du coup, tout s'inverse : les filles qui ont un métabolisme rapide sont privilégiées. Les autres ont un risque de grossir. Vous vous demandez pourquoi tout le monde n'a pas maintenant un métabolisme rapide ? Mais c'est simplement parce les gènes se transmettent de génération en génération. Et que vous en avez hérités. Comme de la couleur de vos yeux ou de la forme de votre nez. Malheureusement,

vous ne pouvez pas en changer. Mais vous pouvez au moins trouver là une explication à vos rondeurs et des arguments pour répondre à ceux qui vous accusent de trop manger : en effet, les recherches en nutrition montrent aujourd'hui que les personnes grosses ne mangent globalement pas plus que les minces. Et que seule une petite proportion des adolescents enrobés, environ 15%, a une alimentation vraiment excessive.

À chacun son corps

Dites-vous aussi que chaque individu a ses particularités physiques. Vous avez quelques kilos de plus, d'autres ont plusieurs centimètres en plus ou en moins que la moyenne des gens, la peau très foncée ou très pâle, des petits seins ou une grosse poitrine, des grands ou des petits yeux… Fort heureusement, nous ne vivons pas dans une société de clones. Si tout le monde se ressemblait, la vie serait monotone. Alors que la variété des silhouettes, des corps et des visages réserve de bien agréables surprises. Quand on est étonné par une personne, séduit par son charme, c'est souvent parce qu'elle a ce petit quelque chose de différent. Votre différence réside peut-être dans vos rondeurs, et alors ? Ce n'est pas un mal. Parions d'ailleurs que, si une de vos copines se plaignait de ses cheveux crépus, vous lui diriez en toute sincérité : « Mais non, ils ne gâchent pas ton visage. Tu n'es pas laide parce que tu n'as pas les cheveux blonds et raides. Et puis, tes cheveux, c'est tout toi. » En disant cela, vous l'aidez à dédramatiser ses complexes et à relativiser son problème. Faites donc le même effort avec vos kilos. Et persuadez-vous aussi d'une chose : il y a des filles maigres qui aimeraient ne pas l'être. Elles estiment avoir des « cannes de serin » en guise de jambes, le torse trop creux, de trop petits seins… Imaginez que certaines aimeraient grossir, mais elles ont beau manger, rien ne se passe. Elles sont ainsi faites. Comme vous.

De toute façon, même si vous en rêvez, vous ne pouvez pas changer de corps.en un coup de baguette magique. La chirurgie esthétique peut certes arranger un nez disgracieux ou gonfler les seins ; elle permet aussi d'aspirer un peu de masse graisseuse ici ou là. Mais cette méthode n'est pas du tout conseillée aux très jeunes filles pour plusieurs raisons.

D'abord, votre corps n'est pas définitif et qui sait comment il sera quand vous aurez fini votre croissance ? Ensuite, l'opération peut vous sembler décevante car les résultats sont rarement specta-culaires. Enfin, elle est douloureuse. Et, à moins de vous soumettre à des dizaines d'opérations qui laissent des cicatrices et finiraient par vous rendre complè-tement folle, vous ne pouvez pas demander à un chirurgien esthétique de vous modeler un corps complètement différent, encore moins de modifier votre

64

métabolisme. Alors mieux vaut faire face à la réalité. D'autant que votre réalité, quelques kilos de plus que les autres filles, est assez largement partagée. Il y a de plus en plus d'adolescentes qui sont rondes. Gageons que, dans les années à venir, les rondeurs seront moins taboues, moins mal supportées, simplement parce qu'elles seront plus répandues.

Les photos truquées des magazines

Une autre information devrait vous mettre un peu de baume au cœur : toutes ces filles longilignes qui posent dans les magazines et sur les affiches de publicité sont loin d'être parfaites dans la vie de tous les jours. Elles sont retouchées. C'est-à-dire qu'entre le moment où le photographe les prend en photo et celui où leur image est imprimée,

le cliché passe entre les mains de professionnels qui les embellissent grâce aux techniques informatiques. En quelques clics, on leur blanchit les dents, on leur blondit les cheveux, on efface quelques rougeurs et rides, mais on sculpte aussi leur corps : on ôte leur cellulite, on affine leurs bras et leurs cuisses s'il le faut, on redessine la courbe de leurs fesses, on gomme leur éventuel petit ventre. On peut même allonger les jambes et toute la silhouette. Au final, si l'on y ajoute le maquillage dont elles ont bénéficié juste avant la prise de vue (ah, ce fameux blush qui creuse les joues !), ces filles sont transformées. Ce traitement de faveur n'est pas réservé aux mannequins : les comédiens et comédiennes, les hommes et femmes politiques en profitent aussi. Et savez-vous que certaines publicités montrant le corps d'une jolie fille ont été fabriquées avec des morceaux de corps de plusieurs jeunes femmes ? Il existe d'ailleurs des agences de mannequins spécialisées qui permettent « d'emprunter » des jambes longues et fines pour les coller à la place de celles d'un mannequin ou d'une actrice qui a des jambes plus

ordinaires. Vous ne pouvez donc pas sérieusement vous référer à toutes ces jolies images pour tirer des conclusions sur vous. Vous êtes bien réelle. Les filles des magazines, elles, sont en partie virtuelles. Jamais, à moins de passer à la moulinette d'un ordinateur, vous ne pourrez leur ressembler.

Votre corps change, donnez-lui du temps

De toute façon, même si vous avez déjà tous les attributs d'une femme, des seins, des poils au pubis et sous les bras, des hanches, vous n'avez pas encore votre corps d'adulte. Votre poitrine va continuer à se modifier : elle va s'épanouir et peut-être prendre encore du volume, mettant votre buste en valeur. Si c'est le cas, vous aurez l'impression d'avoir un estomac et un ventre moins proéminents. Votre ventre justement va peu à peu s'aplatir et perdre son aspect rondouillard de « bébé ». Vos jambes, vos bras vont encore grandir et donner donc l'impression de s'affiner. Comme vous allez continuer à vous étoffer un peu, en prenant des centimètres et des muscles supplémentaires, vos fesses ne vont plus vous sembler aussi grosses. Au fil du temps, vous allez hériter d'un corps mieux proportionné qu'aujourd'hui et qui vous semblera donc plus harmonieux. Il y a beaucoup de filles qui sont boulottes à 13 ans parce qu'elles ont pris du volume avant de grandir. C'est d'ailleurs entre 13 et 16 ans que les filles sont les plus replètes. Si vous gardez une alimentation équilibrée, il y a fort à parier que vous vous affinerez pour devenir plus mince à 20 ans.

Ne soyez donc pas trop pressée et ne tirez pas de conclusions définitives (« Je suis grosse, un point c'est tout ») au sujet de votre corps provisoire. Vous êtes précisément à l'âge que les mères qualifiaient autrefois « d'ingrat », pour résumer les métamorphoses de leurs adolescentes. D'ici peu de temps, vous verrez, dotée d'un corps plus mûr, plus épanoui, vos « bourrelets » ressembleront plutôt à de jolies rondeurs…

Prendre confiance

Vos formes signent votre féminité. Ce sont elles qui font de vous des jeunes filles et bientôt des femmes. Et contrairement à ce que vous entendez ici ou là, elles présentent aussi de sérieux atouts. L'obésité est disgracieuse, mais les rondeurs ne le sont pas.

Ronde, donc généreuse, pulpeuse

La rondeur a aussi ses bons côtés. Elle évoque la générosité. Une fille très mince ou maigre paraît plus sèche, moins avenante qu'une ronde. Les rondeurs mettent plus facilement en confiance. Et puis, avec une ronde, on a envie de se mettre à table et de partager de bons moments, car on se dit qu'elle croque la vie à pleines dents et qu'elle ne passe pas son temps à grignoter deux feuilles de salade. La rondeur, c'est aussi la volupté, la sensualité. Une jeune fille ronde a une démarche plus chaloupée qu'une mince. Ses fesses bougent joliment, ses formes font flotter sa robe, sa jupe ou sa blouse, qui tomberait bêtement si elle était plus mince. Sa poitrine, généralement plus forte que celle des très minces, lui permet d'avoir un joli décolleté. Les rondeurs garantissent aussi une forme de confort. Vous verrez quand vous aurez un petit ami, il trouvera sûrement plus agréable de se coller contre vous que contre une fille aux os saillants.

Tous les garçons n'ont pas les mêmes goûts !

Malgré à ce que vous pouvez croire, beaucoup de garçons aiment les formes. Et c'est normal si l'on y pense : ils sont attirés par la féminité. Ils ne veulent pas de filles qui ressemblent à des garçons, même si tous les goûts existent bien sûr. On parle d'ailleurs beaucoup à la place des garçons quand il s'agit de définir les canons de la beauté. Comment s'en étonner ? Les magazines pour adolescentes sont fabriqués par des femmes qui portent

souvent un regard plus critique et plus exigeant sur le corps féminin que les hommes. Quand on les interroge sur la femme idéale, ils ne répondent pas forcément : « Kate Moss ». Ils l'aiment bien parce qu'elle s'affiche partout, mais ils ne craquent pas nécessairement pour sa maigreur. Et si jamais certains s'avisent de vous comparer, en négatif, à « la brindille », n'hésitez pas à les envoyer sur les roses en leur disant : « Et toi, tu t'es vu ? Franchement, tu ne ressembles pas non plus à un mannequin, avec tes jambes maigres et ton torse étroi !»

Enfin, sachez une chose : certains de vos copains, oui, même peut-être parmi ceux qui ricanent aujourd'hui devant vos rondeurs, deviendront des hommes attirés par les femmes très en chair, rondes de partout. Ils ne le savent pas encore parce qu'ils sont trop jeunes et pas assez matures. Mais peut-être diront-ils un jour, comme Rémi, 22 ans : « Les minces ne sont pas attirantes, il n'y a rien chez elles qui fait envie. Alors que les rondes sont appétissantes et plus sexy. » Pour ce jeune homme, comme pour tant d'autres, un bourrelet est un petit bout de vous tout doux, et pas cet affreux morceau de chair que vous pincez entre vos doigts devant le miroir. Quant à votre ventre, il n'est pas horrible : c'est un petit coussin tout chaud et souple, agréable au toucher.

Dans les yeux
de vos amoureux

Vous êtes peut-être déjà sortie avec des garçons et, franchement, convenez qu'ils ne portaient certainement pas un regard épouvanté sur vos rondeurs. Sinon, ils auraient choisi une autre fille. Personne ne les forçait à vous embrasser. Ils vous trouvaient donc charmante. Voilà qui devrait vous rassurer un peu. Et quand vous aurez un vrai petit ami, vos problèmes de poids vous paraîtront soudain bien plus légers. Ils fondront comme neige au soleil sous le regard de votre amoureux. Quand on se sent aimée, désirée, on se trouve plus belle. On s'imagine parfois être la plus jolie fille du monde. Et c'est très bien ainsi. Car alors fini les séances de désolation devant les rondeurs.

«Je me suis trouvée trop grosse jusqu'au jour où Guillaume m'a embrassée pour la première fois et m'a dit qu'il me trouvait belle. J'avais peur qu'en me touchant, il sente mes bourrelets et prenne un air horrifié. Mais il ne s'est rien passé de tel et cela m'a beaucoup rassurée sur mon corps. Finalement, j'étais potable et peut-être même jolie », se souvient Léa, 15 ans.

Si vous n'êtes jamais sortie avec un garçon, ne mettez surtout pas cela sur le compte de vos kilos. Il y a plein de raisons pour lesquelles cela n'est pas encore arrivé : vous n'aviez peut-être pas vraiment envie, vous êtes exigeante et vous ne voulez pas embrasser le premier venu, il n'a pas osé aller vers vous et vous aussi étiez timide. C'est peut-être aussi votre attitude qui est en cause : comme vous vous trouvez trop ronde et moche, vous restez en retrait du groupe, vous êtes peut-être un peu renfrognée et du coup vous en êtes moins attirante. Mais ce n'est pas une raison pour en vouloir à vos bourrelets. Eux ne sont pas en cause ; tout se passe dans votre tête.

Vous avez d'autres atouts...

Enfin, essayez de vous mettre ceci dans la tête : votre corpulence n'est pas tout. Essayez de porter sur vous un regard un peu plus global et de considérer d'autres aspects de votre personne. Vous ne vous résumez tout de même pas à un nombre de kilos, à une quantité de graisse ou de bourrelets. Votre physique présente bien d'autres atouts de charme : vos yeux, votre nez, vos cheveux, votre sourire, la manière dont vous regardez les autres, dont vous bougez… Et les personnes que vous côtoyez n'y sont pas insensibles. Souvent d'ailleurs, contrairement à ce que vous pensez, ils voient d'abord vos yeux avant de remarquer votre petit ventre. Et même s'ils le remarquent, ils s'en fichent car vos yeux ou vos cheveux sont si beaux ! Et puis, même si vous y accordez beaucoup d'importance, il n'y a pas que le physique

dans la vie. Les autres, les garçons en particulier, sont très sensibles aussi au caractère des filles. Si vous êtes drôle, pleine d'entrain, ça compte aussi !

Se sentir bien

Pour prendre encore un peu plus confiance dans votre corps et en avoir une image positive, il va tout de même falloir vous en occuper un peu. Soit, vous renoncez à entreprendre un régime restrictif, mais ne baissez pas les bras sur tout. Il y a beaucoup de choses à faire pour entretenir votre forme et éviter que vos rondeurs ne deviennent trop imposantes.

Manger de tout sans excès

En tout premier lieu, il faut manger équilibré. Une alimentation variée, c'est la clef de la bonne santé. Vous êtes ronde et vous voulez contrôler votre poids ? Vous avez raison. Il faut donc manger de tout, dans des proportions raisonnables. Cela signifie qu'il ne faut négliger aucune catégorie d'aliments. Vous avez besoin de graisses, de viande, de poisson, de féculents, de fromage, de fruits… car ils apportent tous de bonnes choses à votre corps. Il n'y a guère que les sucreries et les sodas non light qui ne servent à rien. De ceux-là, qui contiennent des sucres rapides, vous pouvez vous passer sans problème. Et si vous

avez l'habitude d'en consommer beaucoup, en manger moins vous fera automatiquement mincir. Mais pas question de faire l'impasse sur le reste.

Il vaut mieux aussi éviter de vous resservir quand vous avez fini votre assiette. Et, d'une manière générale, cessez de manger quand vous n'avez plus faim. Souvent, on mange sans en avoir vraiment besoin : parce qu'on s'ennuie, parce qu'on est stressée, par gourmandise… Comme c'est bon, on se ressert encore et encore, et l'on sort de table avec une vague sensation d'écœurement ou le ventre qui va exploser. C'est signe qu'on a mangé plus que nécessaire. Quand vous avez faim, c'est simple : votre ventre gargouille, vous vous sentez faiblir légèrement ; d'ailleurs cela fait probablement plusieurs heures que vous n'avez rien avalé. Quand vous mangez pour une autre raison, rien de tout cela : vous avez juste envie de manger, mais votre estomac ne crie pas famine.

Un bon conseil : si vous avez tendance à manger sans avoir vraiment faim, essayez de vous demander pourquoi. Avez-vous des problèmes en ce moment avec vos parents, avec vos copains, avec vos profs ? Dans ce cas, il faut essayer de régler ces problèmes autrement qu'en vous vengeant sur la nourriture…

Les secrets des repas équilibrés

Voici ce que les spécialistes recommandent :

▶ **la consommation** d'au moins cinq fruits et légumes par jour. Ceux-ci se prennent sous toutes leurs formes, crus ou cuits, frais, en conserve ou surgelés. La plupart des fruits doivent se manger sans préparation, en dessert ou pour combler un petit creux pendant la journée. En clair, quand vous avez un petit creux, mangez un fruit plutôt que des barres chocolatées.

▶ **la consommation** de trois produits laitiers par jour, indispensables à l'apport en calcium, par exemple, un bol de lait le matin, un yaourt à midi, et une portion de fromage le soir. Il est possible bien sûr de les intégrer dans des recettes, de les mélanger à des salades (c'est le cas du fromage), etc.

▶ **la consommation** de viande, poisson ou œufs une à deux fois par jour, en pensant à alterner. Il ne faut donc pas manger que de la viande, mais aussi du poisson.

▶ **la consommation** de féculents à chaque repas. Ils vous calent l'estomac et fournissent le carburant nécessaire pour tenir le coup toute la journée. Et vous évitent ainsi de grignoter entre les repas. Trop de filles se privent de pâtes ou de pain sous prétexte de vouloir maigrir, mais elles meurent de faim une heure après être sorties de table et s'achètent alors des bonbons ou des gâteaux.

Ce n'est pas du tout la bonne manière de procéder. Il existe un grand nombre de féculents, et contrairement à ce que beaucoup de gens pensent, ils ne font pas grossir. Riz, pâtes, pommes de terre, pain, lentilles, flageolets, semoule sont des aliments très sains si vous les mangez avec peu de matières

grasses. Par exemple, des spaghettis avec un peu de beurre mais sans gruyère râpé, ou avec une larme d'huile d'olive et de la sauce tomate, ou bien du riz avec de la sauce de soja, ou bien encore une salade de pommes de terre avec une sauce au yaourt.

▶ **la limitation de la consommation** de produits gras comme le beurre, la margarine, les huiles, mais aussi les graisses sournoises, qui sont cachées dans certaines préparations, par exemple dans les viennoiseries, la plupart des charcuteries, des biscuits apéritifs, des glaces.

Pour limiter les matières grasses, étalez bien le beurre sur vos tartines plutôt que de le poser en paquet sur votre tranche de pain, ne noyez pas vos salades et crudités sous la vinaigrette (encore moins sous la mayonnaise) et demandez à votre mère d'utiliser du citron, des épices, des herbes aromatiques, des condiments qui relèveront les plats.

▶ **la limitation** des produits sucrés. Ainsi, ne mangez pas en permanence des biscuits ou des pains au chocolat à l'heure du goûter. Mieux vaut de loin prendre un morceau de pain avec du fromage, ou un yaourt avec un fruit. Si vous êtes une grande gourmande, demandez à votre mère de ne pas remplir les placards de gâteaux et de chocolat. Cela vous permettra d'éviter les tentations.

▶ **la limitation** de la consommation de sel. Près de 80% du sel nécessaire à l'organisme est apporté naturellement par les aliments. Inutile donc d'en ajouter. Au moins, goûtez toujours avant de saler votre plat, cela vous évitera d'en mettre trop et de ne pas cacher le goût des aliments.

▶ **la consommation** d'eau à volonté et sous toutes ses formes, minérale, gazeuse, thé, tisanes… L'eau est la seule boisson indispensable. Quand, avec vos amis, vous voulez boire un Coca, prenez-le light.

De plus, ne sautez aucun repas, surtout pas le petit déjeuner, sinon vous aurez faim dans la matinée. Veillez aussi à équilibrer vos repas sur toute une journée. Si, à midi, vous avez avalé un hamburger et des frites avec des amis, tâchez de vous rattraper le soir en mangeant des légumes, des fruits… Et évitez de retourner au fast-food dans la même semaine. Enfin, quand vous vous ennuyez à la maison, plutôt que de farfouiller dans le frigo, passez un coup de fil à des amis ou sortez faire un tour.

Faire du sport

La sédentarité est très souvent aussi la cause des petites surcharges pondérales. Comme le dit le Dr Dominique Adèle Cassuto, nutritionniste spécialiste de l'adolescence, même si l'exercice physique à proprement parler ne fait pas maigrir, il contribue à modeler le corps, à entretenir votre souffle, vos muscles et aide à ne pas prendre de poids. Car, quand on fait du sport, on se muscle. Or les muscles, même quand ils sont au repos, consomment plus de calories que la matière grasse. En plus, quand on pratique régulièrement un sport, on grignote moins et l'on apprend vite à mieux obéir aux signaux de son corps.

Le sport pratiqué au collège ne suffit pas. Il est bon d'en faire en dehors des heures de cours aussi, le mercredi ou le samedi après-midi par exemple, à raison d'une ou deux séances par semaine. Pour être sûre de le pratiquer régulièrement, choisissez un sport qui vous plaît. Ne vous forcez pas à faire du jogging si vous détestez courir, de la gym sous prétexte que votre meilleure amie en fait ou du vélo parce que c'est à la mode. Tous les sports font bouger et travailler les muscles, alors faites de la danse si vous aimez. Surtout qu'aujourd'hui il n'est nul besoin d'être toute mince pour danser. Les cours de danse africaine ou de danse orientale sont désormais très répandus, et très conseillés aux filles rondes qui ondulent joliment au rythme de la musique. Donc, ne vous privez surtout pas de danser sous prétexte que vous n'avez pas le physique d'un petit rat de l'Opéra.

Dans un tout autre registre, sachez aussi que les sports de combat et les sports collectifs sont très adaptés aux filles costauds. Mieux vaut ne pas avoir une taille de guêpe pour pratiquer le judo, le karaté ou le foot. Notez aussi que la natation est un sport complet et très agréable quand on est un peu plus lourd que les autres : en effet, plongé dans l'eau, le corps se libère de la pesanteur. Vous avez l'impression qu'il ne pèse plus rien et vous pouvez faire de l'exercice sans effort. D'où le succès de l'aquagym. Enfin, l'idéal, c'est de trouver une copine qui aime le même sport que vous et qui peut se libérer au même moment que vous. À deux, on se motive et c'est nettement plus drôle.

Se chouchouter

Place maintenant aux petits soins et à la détente. Votre corps le mérite bien. Vous n'en êtes pas convaincue ? Vous n'êtes pas la seule. Beaucoup de filles rondes, qui sont en froid avec leur corps, n'ont pas très envie de se bichonner. Il arrive même qu'elles se négligent. Une façon sans doute de tenir à distance, voire d'oublier, ce corps qui les déçoit… Cependant, cela vaut vraiment la peine de faire l'effort inverse. Car plus on s'occupe de soi, plus on s'approprie son corps et on apprend à l'aimer. N'hésitez pas à faire des petits soins réservés aux femmes; après tout, vous en êtes bientôt une. Commencez par prendre un bon bain moussant parfumé et faites le vide dans votre tête. Au besoin, emportez dans la salle de bains votre lecteur de

disques ou votre iPod pour vous détendre encore plus. Ensuite, passez-vous une crème nourrissante pour la peau. Votre mère en a certainement une ; sinon, demandez-lui de vous acheter une crème de corps et une crème de visage. Ces crèmes vous font une belle peau toute douce, toute lisse et qui sent bon. Pour le visage, choisissez une crème qui convient à la nature de votre peau : grasse, mixte, ou sèche. Une fois par semaine, vous pouvez aussi vous faire un masque purifiant, qui nettoie les pores de la peau. Et, si votre mère est d'accord, pourquoi ne pas l'accompagner une fois chez l'esthéticienne ? Cette dernière vous montrera comment prendre soin de votre visage et aussi comment vous épiler. Après tout, vous avez l'âge. Et, pour les plus brunes d'entre vous, les poils sont souvent sources de complexes. L'été, ils se voient sur les jambes et sous les aisselles ; l'hiver, ils gênent aussi quand vous vous déshabillez devant les copines et les copains, ne serait-ce qu'à la piscine ou quand vous passez la nuit chez une amie.

Enfin, allez chez le coiffeur, et faites-vous faire une jolie coupe de cheveux qui mettra en valeur votre visage et votre regard. Quelques coups de ciseaux habiles suffisent à vous donner une sacrée allure et une toute nouvelle confiance en vous. Alors, ne vous en privez surtout pas ; d'autant qu'il y a des coiffeurs peu chers, voire des possibilités de coupes gratuites dans les écoles de coiffure ou lors de « trainings » chez des grands coiffeurs.

Comment réagir
si votre poids s'affole ?

Vous avez pris plusieurs kilos d'un coup ? L'aiguille de la balance n'en finit plus de grimper ? Pas de panique. La première chose à faire, c'est essayer de savoir pourquoi. Peut-être avez-vous fait beaucoup d'excès ces dernières semaines. Et puis, de combien de kilos s'agit-il ? Deux ou trois ? Ils partiront sans doute si vous reprenez immédiatement de bonnes habitudes alimentaires et une pratique sportive que vous avez peut-être également laissé tomber. Quatre, cinq kilos ou plus ? Et ce, alors même que vous avez essayé de faire attention ? Dans ce cas, demandez à votre mère de vous prendre un rendez-vous avec un nutritionniste. Ce médecin, spécialiste de l'alimentation et du poids, vous aidera à savoir ce qui a pu provoquer cette soudaine prise de poids ; au besoin il vous fera faire quelques examens médicaux et analyses de sang pour écarter toute éventualité de maladie susceptible de vous faire grossir. Et surtout, il fera le point avec vous sur votre façon de vous alimenter et vous donnera des conseils diététiques. Une chose est sûre, à partir du moment où vous serez prise en charge, votre poids se stabilisera.

cha07

chapitre

4

Apprenez
à vous mettre
en valeur

Chaot

Soignez votre apparence

Pour prendre un peu plus confiance en vous et accepter vos rondeurs, vous avez aussi intérêt à soigner votre apparence. Car vous le savez, le look fait la différence. Une fille qui a de l'allure plaît souvent davantage que celle qui s'habille n'importe comment. Et quand on plaît, on se sent plus belle, plus sûre de soi. C'est un cercle « vertueux ». Par ailleurs, un vêtement bien choisi qui dissimule habilement un petit ventre ou de bonnes fesses vous donne de l'assurance. Comme par magie, vous oubliez vos rondeurs et vos complexes. Vous retrouvez le sourire et vous n'en êtes que plus charmante.

D'ailleurs contrairement à ce que vous pensez peut-être, l'allure et le style ne sont pas réservés aux filles minces. Les rondes aussi peuvent en avoir ! Cessez de vous dire : « Oh, de toute façon, comme je suis trop grosse, peu importe ce que je mets », ou encore : « Avec mes kilos en trop, mieux vaut porter des vêtements passe-partout, au moins on ne me remarquera pas. » Vos formes ne sont pas un obstacle à la coquetterie, loin de là. Mises en valeur, elles peuvent même vous rendre particu-lièrement séduisante. Il suffit pour cela que vous portiez une attention toute particulière à vos tenues.

Bien choisir ses vêtements, c'est tout un art que vous ne maîtrisez généralement pas. Il ne faut surtout pas acheter sur un coup de tête sous prétexte que tel pantalon ou tel pull est la mode, ou que toutes les filles du collège portent le même. Il est beaucoup plus judicieux de prendre votre temps et de sélectionner vos tenues en fonction de vos caractéristiques physiques. Les petites rondes n'achèteront pas la même chose que les grandes costauds ; les fortes d'en bas, mais fines de buste, n'ont pas non plus intérêt à porter les mêmes vêtements que celles qui ont des jambes minces mais du ventre, etc. Bref, pour être à votre avantage, il y a un tas de précautions à prendre et de petits détails à soigner qui ont leur importance. Encore faut-il les connaître. Voici donc tout ce que vous devez savoir pour porter fièrement et joliment vos rondeurs.

89

Le piège
des vêtements larges

Quand on a un petit ventre, quelques bourrelets et des fesses, on cherche souvent à les camoufler en portant des vêtements amples. Un grand sweat-shirt et un pantalon large, et le tour est joué, pensez-vous. Eh bien, non. Si vous vous habillez de la sorte, on ne verra effectivement pas vos rondeurs, mais on ne verra plus rien du tout. Vous cherchez peut-être plus ou moins consciemment à faire disparaître ce corps, ces formes que vous n'aimez pas. Mais en vous accoutrant de la sorte, vous vous amochez. Et personne n'est dupe : vos copains, vos copines devinent votre malaise et ils

ch

risquent même de vous imaginer plus grosse que vous ne l'êtes réellement. Les vêtements très larges vous donnent du volume ; ils vous font ressembler à un sac. À tout prendre, mieux vaut voir un petit ventre poindre sous un vêtement moulant qu'un buste informe. Si vous osez vous montrer un peu plus, vous n'en serez que plus jolie. Le pire évidemment, c'est le large en haut et en bas. Si vous êtes complexée par votre ventre, portez une tunique large mais sur un pantalon serré. Si vous avez la taille fine mais de trop grosses cuisses à votre goût, optez pour un pantalon ample et un haut moulant. Un autre petit truc pour celles qui se trouvent trop grosses d'en bas : porter une jupe ample type jupon ou jupe trapèze avec un top ou un petit pull. C'est féminin et camoufle bien les rondeurs.

Choisissez le bon soutien-gorge

Certes, on ne le voit pas. Mais, même dissimulé sous vos vêtements, le soutien-gorge a une sacrée importance. C'est lui qui va vous faire ou non une belle poitrine et qui donnera de l'allure à votre buste. Or, quand on est ronde, le buste compte beaucoup, car c'est lui qui sculpte votre silhouette, vous permet d'avoir un joli décolleté (le point fort des rondes) et fait légèrement disparaître un petit estomac…

▶ Première règle :

le choisir à la bonne taille, ni trop petit, ni trop grand. Pour cela, il faut prendre en compte la largeur de votre dos et la grosseur de vos seins. C'est la raison pour laquelle les tailles de soutien-gorge comprennent un chiffre (largeur du dos) et une lettre (taille des seins, aussi appelée le « bonnet »). Les tailles pour la largeur du dos vont de 80 à 100, parfois 105. Les bonnets vont de A à D (parfois plus). Les filles minces qui ont de petits seins font souvent entre 80 et 90, bonnet A ou B. Vous qui êtes plus enrobée devrez sans doute prendre une taille au-dessus : 85 à 95, bonnet B ou C. Évitez d'acheter une taille de moins sous prétexte que vos copines ne prennent pas de soutiens-gorge si grands. Quand on est ronde, un soutien-gorge trop serré fait ressortir ou crée des petits bourrelets dans le dos, ce qui n'est pas joli.

Avec ou sans baleines...

▶ Deuxième règle :

choisir la bonne forme de soutien-gorge. Certains sont à balconnet, c'est-à-dire qu'ils sont très échancrés et mettent les seins en avant. D'autres sont plus croisés et rapprochent les seins ; D'autres encore sont rembourrés, d'autres sans baleines… Essayez toutes les formes et voyez ce qui vous va le mieux, en enfilant un pull ou un tee-shirt par dessus pour en voir l'effet quand vous êtes habillée. Aucune fille n'a la même poitrine et il importe de trouver le modèle de soutien-gorge qui vous sied le mieux. Si vous avez des seins un peu lourds, ce qui est souvent le cas des rondes, préférez un soutien-gorge à baleines : il assure un meilleur maintien. Les balconnets seront probablement très jolis aussi, car ils font « pigeonner » votre poitrine et évitent de la « couper » en haut. Ne vous en privez surtout pas.

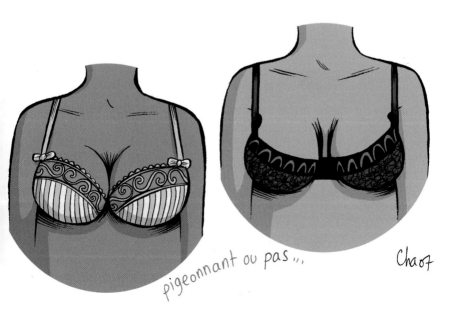

pigeonnant ou pas …

Cha07

chaot

Osez les décolletés

Vous avez des seins ? Montrez-les ! Du moins, ne passez pas votre temps avec des tee-shirts ras du cou, des chemisiers boutonnés jusqu'en haut, ou presque, et des cols roulés. C'est tellement dommage ! Votre poitrine généralement plus généreuse que celle des filles très minces vous dote d'un joli décolleté. Alors portez des cols en V, des cols ronds et larges qui tombent et laissent entrevoir un bout d'épaule… Tout cela est charmant et plaît beaucoup aux garçons. Et puis, si vous attirez l'attention sur votre poitrine, vous la détournez de vos cuisses un peu dodues. Par ailleurs, dégager le cou, la naissance des seins et les épaules permet aussi d'allonger la silhouette et d'affiner un visage éventuellement un peu rond. Quand on a de bonnes joues, un col roulé par exemple semble les grossir encore un peu plus. Si vous portez un col en V, c'est l'inverse qui se produit. Si vous êtes gênée à l'idée de montrer la naissance de vos seins, portez un petit foulard en plus.

Jupes et robes : la bonne longueur

Quand on a des jambes un peu rondes, il ne faut surtout pas les « couper » en portant une jupe ou une robe qui arrivent à mi-mollet (cela fait un peu grand-mère) ou sous le genou (cela fait ressortir des genoux éventuellement un peu ronds et les mollets). Mieux vaut cacher davantage la jambe en portant du long ou bien la dégager en mettant du court. Une jupe ou une robe courte, qui arrive à mi-cuisse, élance la jambe. Pour lui donner l'air plus fin, portez un collant ou un « leggings » foncé, noir, marron ou prune. Une jupe ou une robe longue dissimule des mollets un peu trop forts. Attention cependant si vous êtes petite : le long peut vous tasser. Il importe alors de choisir une jupe ou une robe dans un tissu pas trop épais et surtout fluide qui danse autour de vous et ne reste pas raide. D'une manière générale, si vous êtes ronde, bannissez les tissus épais qui alourdissent la silhouette comme le velours et la grosse laine.

Du bon usage des ceintures

En cuir ou en tissu, les ceintures sont un précieux accessoire, car elles structurent la silhouette. Et permettent aux filles rondes de porter des tuniques, des pulls, des tops un peu amples et longs sans avoir l'air grosses. Une petite ceinture sur une blouse en forme trapèze qui tombe sur un jean moulant, c'est parfait pour une ronde. Car votre taille et votre cambrure sont soulignées par la ceinture, et la blouse qui passe en dessous ne moule pas votre ventre et peut aussi cacher un peu les fesses. Bref, vous aurez l'air d'avoir des formes mais pas trop. Attention, cependant : ne serrez surtout pas votre ceinture au maximum, portez-la un peu lâche. Sinon, vous aurez l'air boudinée, et vos hanches, votre estomac et votre

ventre ressortiront. Au moment de vous habiller, choisissez une ceinture de la même couleur, du moins dans les mêmes tons, que votre haut. Ainsi, elle marquera votre taille sans donner l'impression de « couper » votre silhouette en deux. Pensez aussi aux ceintures « bijoux » qui ressemblent à des colliers ou à des chaînes et qui sont très seyantes lorsqu'elles tombent légèrement sur vos hanches.

Chaussures plates et talons hauts

Vous aimez porter des chaussures de sport et c'est normal à votre âge. C'est pratique et c'est à la mode. Mais sachez tout de même qu'elles ne sont pas toujours du plus bel effet quand on est ronde. Avec un pantalon, pas de problème. Mais avec un short, un bermuda, une jupe ou une robe, c'est nettement moins pertinent : les baskets alourdissent votre silhouette et ne font pas de très jolies jambes ; et les Converse montantes, en cachant votre cheville, grossissent vos mollets. C'est uniquement un effet d'optique bien sûr, mais c'est ainsi. Et si vous pensiez à porter des chaussures à talons ? Des petits fins ou des plus carrés ? Vous en avez l'âge désormais. Elles ont en plus l'immense avantage d'allonger la jambe et d'affiner la silhouette. Vous vous rehaussez de quelques centimètres et cela change tout. Si vous trouvez que les escarpins et les trotteurs font trop « dame », optez pour des bottines ou des bottes. Dans les deux cas, prenez-les un peu larges en haut pour qu'elles ne boudinent pas votre jambe. Enfin, si vraiment vous n'aimez pas les talons, pensez aux ballerines : elles sont plates certes, mais au moins elles donnent de la légèreté à votre silhouette.

Quel jean choisir ?

Choisir un jean, c'est toute une affaire quand on est ronde. Car, quand il est neuf, c'est un pantalon assez raide et épais, qui serre à la taille. Heureusement, il existe aujourd'hui un tas de modèles différents qui s'adaptent à tous les physiques. Première chose : choisissez un tissu qui contient un peu de Lycra. Cette matière donne de l'élasticité aux vêtements et permettra de loger votre petit ventre ou vos fesses sans vous boudiner et faire ressortir d'affreux bourrelets.

S'agissant du modèle, méfiez-vous des tailles hautes qui serrent et des « baggys » qui font masse. L'idéal pour une ronde, c'est un pantalon taille basse pas trop serré, avec une coupe western (ou « boot cut », un peu large en bas pour aller sur des bottes), ou slim (serré en bas que vous pouvez rentrer dans des bottes ou porter avec des Converse), ou bien encore évasé en bas. Ce dernier modèle a le mérite d'affiner vos jambes : la largeur du bas compense celle du haut (vos cuisses) et en diminue l'importance. Évitez de prendre un jean plein de poches partout : elles vous donnent encore plus de volume. Et pensez aussi aux jeans gris foncé ou noirs qui amincissent plus qu'un bleu délavé. Maintenant, ne jurez pas non plus que par le jean : les pantalons à pince sont très confortables quand on est ronde, car ils ont de l'ampleur au niveau de la taille. Ils vous serrent moins les cuisses aussi et vous permettent donc de porter un haut plus court que celui que vous porteriez sur un jean.

Quelles manches quand on a les bras ronds ?

Pas de problème avec les manches longues : elles affinent votre bras. Même chose avec les vêtements sans manche, type débardeur, qui découvrent votre peau et laissent entrevoir vos épaules. Mais faites attention aux manches courtes : trop serrées, elles risquent de boudiner votre bras un peu grassouillet et ce n'est pas joli. Optez pour des manches courtes amples ou préférez-leur des manches trois-quarts, qui arrivent sous le coude et qui ont deux mérites : elles camouflent les hauts de bras un peu forts mais dégagent la partie la plus fine du bras, notamment le poignet. Pas toujours du meilleur goût non plus quand on est ronde : les manches hyperlarges, type chauve-souris, qui ont tendance à amplifier le volume de votre silhouette. Plus vous avez de tissu autour de vous, plus vous paraissez lourde.

Moulant oui, mais à bon escient

Il n'y a aucune raison de vous priver de vêtements moulants. Très féminins, ils mettent en valeur les formes. Mais attention : il y a moulant et moulant ! Un tee-shirt mini et serré va faire ressortir votre ventre et risque aussi d'écraser votre poitrine. Ce n'est pas joli.

100

L'idéal pour vous, ce sont les vêtements près du corps mais qui n'en n'épousent pas absolument tous les contours. On pourrait appeler cela du « faux moulant ». Exemple, le cache-cœur : il moule votre poitrine, son petit cordon derrière dessine la cambrure de vos reins, mais devant il est droit et peut dissimuler un petit ventre. Autre exemple : le top moulant au niveau de votre poitrine, qui la fait pigeonner même, mais qui s'évase légèrement au niveau des hanches. De même, n'achetez pas de jupe ou de robe en Lycra qui vous serrent de haut en bas et marquent un peu trop vos hanches, votre ventre et vos fesses. Optez plutôt pour des modèles qui sont plats au niveau du ventre et des hanches, mais s'évasent par la suite.

Ne vous abonnez pas aux couleurs sombres

D'accord, le noir amincit et allonge la silhouette. En plus, c'est une couleur qui a du chic. Mais ce n'est pas une raison pour en porter à tout bout de champ, surtout à votre âge. Comme disait un slogan publicitaire célèbre, « la vie est trop courte pour s'habiller triste ». La bonne idée : porter du noir (ou du marron ou du marine qui affinent aussi), mais l'éclairer systématiquement avec une couleur gaie. On a beaucoup dit que les couleurs vives comme le rouge

ou l'orange donnaient du volume aux filles rondes. Mais c'est faux. Si vous ne les portez pas de la tête aux pieds, elles vous iront très bien. Le rouge et l'orange illuminent le teint des brunes notamment. Les blondes, elles, sont très jolies avec des couleurs pastel, comme le rose pâle, le bleu ciel ou le vert tendre.

Rayures et motifs, à petite dose

Les imprimés, c'est sympa. Mais quand on est ronde, il ne faut pas en abuser, car ils donnent l'impression que vous êtes plus massive qu'en réalité. À bannir : les très grosses fleurs, les très gros pois et les rayures horizontales, elles élargissent. Préférez-leur les petits motifs et les rayures verticales qui donnent une silhouette plus longiligne. Et surtout : si vous aimez les motifs, portez-en plutôt en haut. Un pantalon à motif a tendance à grossir. Enfin, évitez les imprimés en haut et en bas. Cela surcharge et donne de l'ampleur au corps.

Les shorts

Les rondes ont tendance à bannir les shorts sous prétexte qu'elles ont de trop grosses cuisses. Quel dommage ! Car à moins d'avoir vraiment des cuisses et surtout des genoux énormes, ils vont

103

bien aux rondes. Souvent mieux qu'aux filles hyperminces qui, affublées d'un short, ont l'air d'avoir deux cannes en guise de jambes qui dépassent lamentablement. Vos jambes ont des formes ? Tant mieux, elles méritent donc de porter un short. À une condition cependant : qu'il ne soit pas trop serré aux cuisses. Sinon, comme vous le remplissez bien, le haut de vos cuisses va faire des bourrelets dès que vous serez assise. Celles qui pensent avoir le haut des cuisses un peu trop gros peuvent aussi opter pour le bermuda, qui arrive à mi-cuisses, voire juste au-dessus du genou. Comme les shorts et bermudas sont très à la mode, même en hiver, profitez-en pour les porter avec des collants et des bottines à petits talons qui vous élanceront, ou bien avec de grandes bottes qui cacheront des mollets un peu forts.

Le casse-tête des maillots de bain

Rien de pire que la séance d'essayage des maillots de bain quand on est ronde. Car on se voit toute nue, sous la lumière blafarde de la cabine, la peau blanche et les jambes pas toujours épilées. Par ailleurs, c'est toujours l'épreuve de vérité. Vous pensez : « Ai-je pris du poids cet hiver ? », « Et si jamais aucun ne m'allait ? », ou : « Mais je n'oserai jamais me montrer comme ça devant les copains ! » Pas de panique. C'est dur, c'est vrai, mais vous allez forcément en trouver un qui vous va. Le tout est de ne pas hésiter à en essayer une bonne dizaine. Contrairement à ce que vous pensez souvent, les « shortys » (dont la culotte descend un peu sur les cuisses) ne vont pas très bien aux rondes. Ils cachent certes le haut des cuisses, mais ils les serrent en dessous. Prenez plutôt un slip normalement échancré, un peu montant si vous avez du ventre.

Autre astuce pour camoufler votre ventre : le haut débardeur. Cela se fait beaucoup maintenant et permet d'avoir un deux-pièces qui ne vous découvre pas trop. Le une pièce de couleur foncée allonge évidemment la silhouette. Si vous avez une poitrine un peu lourde, optez pour un soutien-gorge avec baleines ou pour un une pièce avec baleines aussi et un grand décolleté. N'oubliez pas qu'un maillot décolleté devant et dans le dos affine. Et pour passer du temps sur la plage sans complexe, usez et abusez des petites jupettes, robes de plage et paréos qui se mettent sur le maillot.

Coiffure, maquillage :
les astuces qui affinent

Les vêtements ne sont pas les seuls à pouvoir vous mettre en valeur. Le soin que vous apportez à votre visage compte aussi. Une bonne coupe de cheveux et un coup de blush changent bien des choses.

Quand on est ronde, les cheveux très longs ont tendance à tasser la silhouette. À moins que vous les portiez toujours relevés bien sûr. À l'inverse, les coupes mi-longues ou au carré dégagent les épaules et affinent.

Si vous avez de bonnes joues, évitez d'essayer de les cacher en portant les cheveux longs et en bataille. Ce n'est pas très féminin. Évitez aussi la frange, surtout avec une coupe au carré. Car alors vos cheveux encadrent votre visage et l'arrondissent un peu plus. Mieux vaut au contraire dégager votre visage et laisser voir votre cou. De deux choses l'une : soit vous demandez à la personne qui vous coupe les cheveux (votre mère, votre grande sœur ou, mieux, le coiffeur) de les couper assez court. Ou bien vous mettez des barrettes ou des peignes pour dégager un peu vos oreilles. Sachez aussi que les coupes très dégradées affinent les joues et le visage tout entier.

Si vous avez les cheveux épais, c'est une raison de plus pour ne pas les porter longs. Car alors ils feront

masse. Demandez qu'on vous les « désépaississe »,
c'est-à-dire qu'on vous enlève un peu de volume.

Vous arrivez à l'âge où vous pouvez commencer à vous
maquiller. Profitez-en, car le maquillage aussi fait son
effet. Un peu de blush (de poudre) sur les pommettes
très exactement, et votre visage aura l'air plus fin. De
même, si vous vous maquillez légèrement les yeux, en
mettant un peu de couleur sur les paupières et un peu
de rimmel sur les cils, vous attirerez le regard des
autres sur le haut de votre visage et ferez ainsi
disparaître artificiellement les rondeurs du bas.

Enfin, si vous avez de gros sourcils, essayez de les
épiler un peu en leur donnant une forme qui épouse
votre arcade sourcilière. Car des sourcils pas trop
fournis et bien dessinés affinent aussi le visage.
Demandez conseil à votre mère ou bien faites-vous
offrir une séance d'épilation chez l'esthéticienne pour
Noël ou votre anniversaire.

Découvrez aussi le spécial Oxygène de 256 pages, intitulé :
Un grand bol d'Oxygène,
160 questions strictement réservées aux ados
pour retrouver des éléments de réponse
à un grand nombre de questions que vous vous posez.

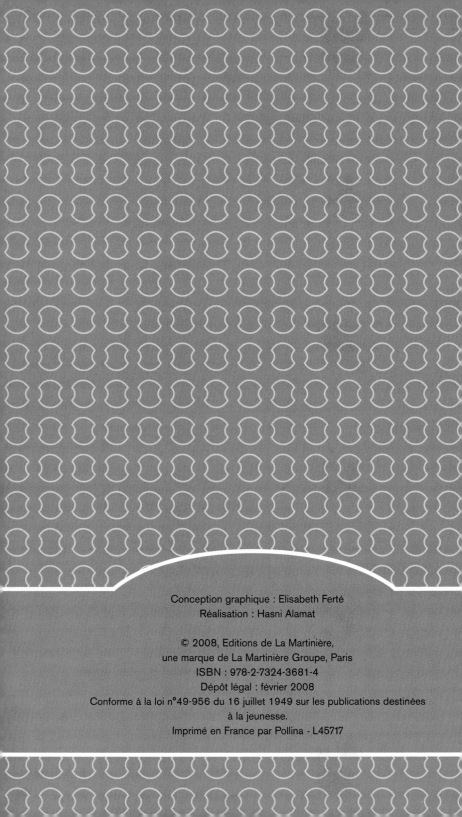

Conception graphique : Elisabeth Ferté
Réalisation : Hasni Alamat

© 2008, Editions de La Martinière,
une marque de La Martinière Groupe, Paris
ISBN : 978-2-7324-3681-4
Dépôt légal : février 2008
Conforme à la loi n°49-956 du 16 juillet 1949 sur les publications destinées
à la jeunesse.
Imprimé en France par Pollina - L45717